Abra Cadabra

Abra Cadabra

MAUREEN BAYLESS

Couverture de
RON LIGHTBURN

Illustrations de l'intérieur
JALEEN MARLES

Texte français de
François Renaud

Les éditions Scholastic

Données de catalogage avant publication (Canada)

Bayless, Maureen, 1959-
 [Abra Kadabra. Français]
 Abra Cadabra

Traduction de: Abra Kadabra.

ISBN 0-590-74760-6

I. Lightburn, Ron. II. Titre. III. Titre: Abra Kadabra.

6 5 4 3 2 1   Imprimé au Canada   4 5 6 7 8/9

À tous les enfants qui ont des parents un tant soit peu
originaux.
Et à mon frère, Tom.
(Tu te souviens de cette fois où ... ?)

Chapitre 1

Un vieux problème

Abra a un problème. Deux problèmes, en fait. Deux vieux problèmes âgés de 165 ans : ses parents.

Madame et monsieur Cadabra n'ont jamais été des gens ordinaires, à tout le moins pas depuis la naissance d'Abra. Cependant, jamais, avant aujourd'hui, ne les avait-elle perçus comme une source de problèmes.

Tout commence quand son institutrice, mademoiselle Lescarpin, décide que toute la classe va organiser une Foire de l'Ancien Temps et que les parents seront invités... autrement dit, qu'ils auront l'obligation de venir.

— Imaginez, dit mademoiselle Lescarpin en battant l'air de ses bras maigrichons, nous serons tous habillés comme les premiers colons. Nous allons construire un fort dans la cour de l'école et nous allons faire cuire du *bannock* et... et... Qui peut me dire ce que les colons mangeaient d'autre?

— Du pemmican! hurle Jacob.

En classe d'histoire, on avait étudié la vie des premiers colons, aussi pratiquement tous les élèves de la classe lèvent la main pour répondre à la question. Tous, sauf Abra.

— Du sirop d'érable! crie Sophie.

— Des lapins! hurle Wilfrid.

Là-dessus, tout le monde pousse un «yeurk!» parce que la classe a adopté deux lapins de compagnie.

Abra ne dit rien. Elle sait parfaitement bien ce que mangeaient les premiers colons, elle mange exactement la même chose, tous les jours.

Les parents d'Abra sont des colons,

d'authentiques colons. De fait, ils vivent encore comme au siècle dernier.

Madame et monsieur Cadabra sont des fantômes.

Et c'est très difficile d'emmener des fantômes à l'école, même si ce sont vos parents. Jusqu'à aujourd'hui, ils n'ont assisté à aucune rencontre parents-professeurs et mademoiselle Lescarpin commence à entretenir des soupçons.

— Alors, dit mademoiselle Lescarpin en fixant Abra, j'aurai enfin l'occasion de faire connaissance avec tes parents.

— Il est possible qu'ils soient à l'extérieur de la v...

— À l'extérieur de la ville? s'exclame mademoiselle Lescarpin, anticipant la réponse.

— À l'extérieur de la vie, marmonne Abra, de sorte que mademoiselle Lescarpin ne l'entende pas.

— Ne dis pas de sottises! réplique l'institutrice. Notre foire a lieu dans deux mois. Je suis convaincue que tes parents réussiront à organiser leur emploi du temps en tenant compte de ces dates. Même si ce sont des... ?

— Des historiens, complète Abra. Et ils sont du genre à prendre leur histoire très au sérieux.

Mademoiselle Lescarpin plisse le front et murmure quelque chose du genre «Pauvre chérie».

L'institutrice plisse souvent le front lorsqu'elle parle des parents d'Abra et celle-ci devine que ce n'est qu'une question de temps avant qu'elle ne prévienne les travailleurs sociaux. La seule raison pour laquelle elle n'a pas encore fait appel à leurs services, c'est qu'Abra a toujours de bonnes notes. Mademoiselle Lescarpin croit fermement que de bonnes notes sont un signe d'une vie familiale heureuse.

C'est la raison pour laquelle Abra est prête à tout pour obtenir un A en histoire, peu importe qu'elle sache, par expérience, qu'à peu près tout ce que raconte mademoiselle Lescarpin sur la vie des premiers colons est totalement farfelu. Elle est même prête à construire un fort dans la cour d'école s'il le faut.

Mais que va-t-il arriver si la seule manière d'obtenir un A est d'emmener ses parents à la foire?

Chapitre 2

Un nom tout à fait seyant pour un fantôme

— Tu sais M'man, tu aurais vraiment dû me donner un prénom ordinaire, comme Louise ou Jeannine, dit Abra en tendant une pelle à sa mère.

— Abra est un très joli nom, ma biche.

Tout en parlant, sa mère remplace le manche brisé par un nouveau manche de pelle. M'man et P'pa sont des chercheurs d'or.

— Tu sais très bien ce que je veux dire, réplique Abra. Abra Cadabra... Tant qu'à y être, vous auriez dû m'appeler Sésame Ouvre-Toi!

Sa mère sourit.

— C'est un bon jeu de mots, tu ne trouves pas? N'oublie pas que ton père et moi sommes des fantômes et que nous nous attendions à avoir un petit bébé fantôme. Abracadabra est un nom tout à fait seyant pour un fantôme.

— Ouais, c'est vrai, concède Abra avec un petit reniflement.

Ce n'est pas la première fois qu'elle a ce genre de conversation avec sa mère. On lui avait déjà raconté la surprise générale quand sa mère avait donné naissance à un bébé qui n'était pas un fantôme. Ses parents eux-mêmes avaient été fort étonnés d'avoir un bébé : les fantômes n'ont pas de bébé, c'est la règle.

Abra s'assoit devant la cuve et se met à frotter. Elle est la seule enfant de l'école à devoir faire sa lessive à la main. Elle est à peu près certaine d'être la seule à faire ses devoirs à la lumière d'une bougie, la seule à ne pas avoir de réfrigérateur, la seule dont les parents vont au travail à dos de mule.

— M'man, dit Abra en s'éclaircissant la voix.

— Hum-um? réplique distraitement sa mère, occupée à gratter, à l'aide d'un bâton, la boue séchée sur sa pelle.

— Mademoiselle Lescarpin veut que tu viennes à l'école.

— Hé bien, apporte la plume d'oie, ma biche. Je vais lui écrire un autre mot.

— Non, M'man, tu ne comprends pas. *Il faut* que tu viennes à l'école. Nous organisons une Foire de l'Ancien Temps et les parents doivent participer.

M'man sort par la porte arrière pour accrocher la pelle au râtelier. Abra la suit.

— Tu sais bien que c'est impossible, Abra. Si je sors par la porte avant, je serai dans le vingtième siècle... et au vingtième siècle, personne ne peut me voir.

La maison d'Abra est la plus ancienne de Val-des-Mines. Si vieille qu'un jour, un représentant de l'hôtel de ville est venu y installer une plaque sur la porte et que maintenant on peut y lire l'inscription suivante :

Maison Éphrem et Graziella Cadabra.
Construite en 1862.
Patrimoine historique
de Val-des-Mines

Cependant, ce que ne savent pas les autorités municipales, c'est à quel point cette maison est riche en histoire. À l'intérieur, tout y est encore exactement comme en 1862 et, en ouvrant la porte arrière, on se retrouve plongé à la grande époque de la ruée vers l'or de l'Abitibi.

Tant qu'ils sont à l'intérieur de leur maison, M'man et P'pa ont l'air parfaitement normaux, mais dès qu'ils sortent par la porte avant, ils deviennent invisibles. C'est différent pour Abra qui a, en quelque sorte, le pouvoir de voyager dans le temps.

— M'man, tu ne crois pas que les choses seraient plus faciles si je changeais d'école? Je pourrais aller à l'école en 1862 à la place.

— C'est de mon époque dont tu parles et, à mon époque, il n'y avait pas d'école à Val-des-Mines. Ça avance la lessive?

Sans répondre à la question, Abra marmonne :

— Eh bien, me voilà bien prise! Dans ton temps, il n'y avait pas d'école et dans le mien, je n'ai pas de parents!

Là-dessus, Abra se remet à frotter les jupons tout en suivant le fil de sa pensée

— Il y a autre chose aussi. Plus personne ne fait sa lessive à la main, tout le monde achète des machines à laver. Et on peut se procurer des tas d'autres choses aussi, comme des ordinateurs. De mon temps, presque plus personne n'écrit ses travaux de recherche à la main.

— C'est une vraie honte! réplique sa mère avec un petit claquement de langue. Dire que j'ai une fameuse de bonne recette pour faire de l'encre.

— Salut la compagnie! lance P'pa qui entre en secouant la poussière de ses bottes.

P'pa salue toujours comme cela. Il ne dit jamais «Bonjour tout le monde», comme on entend dans les films.

— Désolé, M'man, je suis en retard, dit-il en embrassant sa femme sur la joue. La mule avait besoin d'un nouveau fer.

— P'pa, il faut que tu viennes à l'école, dit Abra en lui expliquant le projet de Foire de l'Ancien Temps.

— Eh bien, voyez-vous ça! dit P'pa en essayant de remettre de l'ordre dans sa barbe. C'est tout un honneur! Mais j'ai bien peur que mademoiselle Lescarpin manque de chance. J'ai trouvé beaucoup d'or aujourd'hui dans mon tamis. Je suis pas mal certain d'avoir mis le doigt sur un gros filon ce coup-ci. Faut que je m'en occupe avant que quelqu'un d'autre le trouve.

Abra soupire. Le problème avec ses parents c'est qu'ils ne se rendent tout simplement pas compte à quel point il est difficile d'être un enfant de nos jours. Ils ne prennent rien au sérieux, pas même mademoiselle Lescarpin.

— Écoute, dit Abra. Toute la classe va s'habiller comme les premiers colons...

— Pas de problème, ma biche, dit M'man. Je vais te prêter mes salopettes.

— Et nous allons manger comme les premiers colons.

— Manger comme les premiers colons? Parce que les colons ne mangent pas la même chose que les autres? demande P'pa en se grattant la tête.

— Mademoiselle Lescarpin va faire des bonbons en faisant bouillir du sirop d'érable, explique Abra.

— Du sirop d'érable à Val-des-Mines? s'exclame P'pa en éclatant de rire. Il n'y a pas de sirop d'érable ici, du moins pas dans mon temps. Elle doit penser à d'autres premiers colons.

— Elle vient tout juste d'aménager ici, explique patiemment Abra. Mais elle s'est procuré un livre, ça s'appelle «La vie des premiers colons dans le Haut-Canada».

— Eh bien, je comprends tout, ma biche, dit M'man en vidant la poussière d'or du sac de P'pa dans le plateau de la balance. Les colons du Haut-Canada sont des petits douillets. Si un ours vient boire leur soupe, ils n'ont pas le courage de le regarder en pleine face. Ce sont seulement les meilleurs colons qui viennent en Abitibi.

— Qui venaient M'man, marmonne Abra. Qui venaient en Abitibi. La ruée vers l'or est finie depuis un siècle.

— Quoi? Qu'est-ce que tu dis?

— Rien, M'man. Simplement, ça ne me sert à rien de savoir comment était Val-des-Mines dans ton temps. Ce n'est pas en sachant ça que je vais avoir de bonnes notes. Tout ce qui compte, c'est ce qui est écrit dans le bouquin de mademoiselle Lescarpin.

— P'pa, qu'est-ce que tu as rapporté pour souper? demande M'man.

— Des petits serpents à sonnettes bien tendres, dit P'pa en montrant le sac de jute qui grouille sur le plancher.

— Dire qu'ils se demandent pourquoi je n'invite jamais personne à souper à la maison! se dit Abra en secouant la tête.

Chapitre 3

Une ville pleine de voyous

«Atchoooou!» C'est Abra qui éternue.

— Oh, pauvre bichette, murmure M'man en touchant le front d'Abra. Tu as de la fièvre. Je ferais mieux d'aller chercher le docteur.

— Aw-w, M'man! bougonne Abra. Pas le docteur. Il va encore vouloir me mettre des sangsues.

Peu importe ce qui ne va pas avec ses patients, le docteur utilise toujours des sangsues. Il prétend que cela tire le mauvais sang. Si elle se cassait une jambe, il utiliserait probablement des sangsues également.

— Je prendrai une aspirine à l'école, dit Abra en éternuant.

Rendue dehors, elle rencontre Jacob.

— Pourquoi tu n'utilises pas un papier-mouchoir? lui demande-t-il en jetant un coup d'œil sur le mouchoir que M'man a taillé dans une vieille chemise.

— C'est une trop longue histoire, réplique Abra.

— As-tu décidé quel genre de colon tu vas être? demande Jacob.

C'est aujourd'hui que les élèves doivent dire à mademoiselle Lescarpin quel personnage ils vont représenter à la Foire de l'Ancien Temps.

— Un chercheur d'or, je pense, dit Abra avec un haussement d'épaules.

— Tu ne peux pas être un chercheur d'or, dit vivement Jacob en levant le nez. C'est un travail d'homme.

Abra s'arrête brusquement et lève le bras en pointant vers la statue d'un fondateur de la ville, installée devant l'école.

— Et qu'est-ce que tu fais d'Annie, l'orpailleur? Ne viens pas me faire croire qu'elle était dentiste, réplique Abra. Tu ne connais rien à rien.

— Ouais? Eh bien tu sauras que j'en connais aussi long que toi.

Abra ne réplique pas. Comment le pourrait-elle? Annie, l'orpailleur, est sa grand-mère, mais si elle le lui dit, Jacob va la prendre pour une cinglée.

— Eh bien, moi, je vais être le shérif, dit Jacob. J'ai déjà une étoile de shérif, ajoute-t-il en lui montrant fièrement l'insigne épinglé à son chandail.

— Un shérif! dit Abra en éclatant de rire. Tu te penses en pleine conquête de l'Ouest?

— Bien sûr que non, dit Jacob en la regardant, surpris. Mais dans l'ancien temps, c'était comme ça. C'est pourquoi la Foire va être si amusante. Je vais être le shérif Eastwood et Wilfrid sera le hors-la-loi.

— D'accord. Tu as par-fai-te-ment raison. Tu es content, là! dit Abra en le regardant avec des yeux furibonds.

Laissons à mademoiselle Lescarpin la tâche de lui annoncer que les shérifs existaient uniquement aux États-Unis, se dit Abra. Ici, à Val-des-Mines, il n'y avait que des ingénieurs de Sa Majesté. Et le juge Laramée.

En classe, mademoiselle Lescarpin passe un dur moment à essayer d'obtenir le silence. Finalement, elle prend deux brosses à tableau et les fait claquer ensemble, d'un bon coup sec, comme des cymbales. La poussière de craie vole partout, mais elle obtient enfin le silence.

— Très bien, dit-elle en virevoltant sur elle-même. (Avant de s'installer à Val-des-Mines, mademoiselle Lescarpin vivait en Californie où elle avait été danseuse de ballet classique.) Maintenant, chacun à votre tour, vous allez me dire quel personnage vous avez choisi d'incarner à l'occasion de notre Foire.

— Moi, je vais être propriétaire d'un saloon, dit Marc. Du genre avec des portes battantes où on règle ses comptes au pistolet.

Mademoiselle Lescarpin hoche la tête et note

la réponse.

— Moi, je vais être un voyou, dit Wilfrid. Compte tenu du genre qu'il est, c'est un choix judicieux.

— Moi aussi, réplique la moitié des élèves.

— Et moi, je vais être le shérif à la tête de mes troupes, dit Jacob. Qui veut être mon assistant?

Abra s'attend à ce que mademoiselle Lescarpin le détrompe.

— Excellente idée, Jacob, se contente-t-elle de dire, tout en inscrivant le nom de Sophie comme adjointe au shérif.

À la fin du cours, il y a neuf voyous, un propriétaire de saloon, un shérif, un adjoint au shérif, un gardien de prison, quatre cow-boys et un cadavre. Sans oublier un chercheur d'or, également. C'est Abra.

— Et vous appelez ça la ruée vers l'or? dit Abra en bougonnant et en éternuant. Des cow-boys? Des bandits? Et qui creuse pour chercher de l'or?

— Tu t'es levée du mauvais pied aujourd'hui, n'est-ce pas, ma jolie? glousse mademoiselle

Lescarpin. Nous avons tous fait de l'excellent travail, dit-elle en jetant un coup d'œil sur sa liste. Quant à moi, je vais m'occuper de la cabane à sucre.

Abra lève la main pour poser une question.

— Qui va se charger du lavage?

— Pardon? dit mademoiselle Lescarpin.

— Oui... Qui va laver les vêtements des mineurs?

— C'est complètement idiot, lance Wilfrid de sa petite voix agaçante. Les mineurs ne se lavaient pas. Ils aimaient ça être sales.

— Dans ce cas, que diriez-vous d'un magasin? propose Abra. Il faut bien que quelqu'un se charge du magasin général, du bureau de poste, de la banque.

— Abra, dit mademoiselle Lescarpin, tu te fais beaucoup trop de souci.

— Je ne vois pas l'intérêt, dit Jacob. S'il y avait tout ce que tu viens de nommer, ce serait exactement comme aujourd'hui.

— Une banque, ce serait très bien, dit Wilfrid. On pourrait la dévaliser.

— Excellente idée! dit mademoiselle Lescarpin en nommant Jacob à la fois shérif et banquier.

Là-dessus, l'institutrice fait un grand jeté, puis virevolte sur elle-même sur la pointe du gros orteil.

— Demain, assurez-vous d'amener vos parents, dit-elle. Nous allons construire un fort dans la cour d'école et nous aurons besoin de toute l'aide disponible.

Mademoiselle Lescarpin envoie toute la classe dans la grande salle pour la leçon de musique. Tout le monde, à l'exception d'Abra.

— Je m'inquiète à propos de ton dernier examen, dit-elle en tenant la copie d'Abra.

En sortant, Wilfrid fait une grimace à Abra.

À son tour, Abra lui tire la langue.

— Abra! intervient sèchement mademoiselle Lescarpin, d'un ton outré.

— Pardon! dit piteusement Abra.

— Regarde-moi cela, dit l'institutrice en agitant la copie sous le nez d'Abra. Je vous avais demandé d'expliquer, en quelques phrases, comment les premiers colons faisaient pour se nourrir. Tout le monde a écrit que les colons cultivaient du blé, du maïs et des légumes, qu'ils préparaient des marinades ou salaient du porc. Toi, tu as écrit...

— Je sais ce que j'ai écrit, grommelle Abra.

Elle avait écrit que les premiers colons traversaient les montagnes en emportant leur nourriture à dos de mule.

— Je vous ai également demandé d'expliquer en quoi les vêtements des premiers colons différaient de ceux que nous portons aujourd'hui. Tu m'as répondu que les premiers colons portaient des porte-bonheur autour du cou. Tu as même ajouté que les quenouilles faisaient d'excellents biscuits! Alors? conclut mademoiselle Lescarpin en fronçant les sourcils.

Abra éternue dans son mouchoir.

— Je crois que les premiers colons de Val-des-Mines ne vivaient pas du tout comme ceux dont parle votre manuel. Les prospecteurs de la ruée vers l'or portaient toujours des porte-bonheur pour les aider à trouver de l'or. Et ils n'avaient pas le temps de planter quoi que ce soit, parce qu'ils étaient trop occupés à creuser le sol.

— Oh, Abra! dit mademoiselle Lescarpin en poussant un long soupir. Je devine que cela ne va pas très bien à la maison, pas vrai, ma jolie? Toi qui a toujours été une si bonne élève.

Abra le devine. Elle est sur le point d'échouer sa meilleure matière.

— Je vais rencontrer tes parents lors de la construction du fort, dit mademoiselle Lescarpin en se levant et en regardant Abra d'un œil attendri. Nous allons en profiter pour avoir une discussion à cœur ouvert. Je vais régler tous tes problèmes, tu vas voir.

Abra a l'étrange sentiment que ses problèmes ne sont pas prêts d'être réglés; au contraire, elle a la nette impression que ses ennuis ne font que commencer.

Chapitre 4

Attentioooon!

—**C'**est tellement plus amusant que dans la classe de ma sœur, dit Sophie. Quand ils ont étudié la vie des premiers colons, ils n'ont fait que construire des cabanes en bois rond avec des bretzels.

Abra et Sophie sont devant l'école et aident mademoiselle Lescarpin à soutenir l'un des murs du fort.

Tous les parents, à l'exception de ceux d'Abra, sont là pour aider à construire le fort. La mère de Wilfrid, qui est l'un des patrons du moulin à scie, a apporté du bois et un banc de scie spécial. Tandis qu'elle coupe le bois, elle porte des lunettes protectrices qui lui donnent l'air d'un monstrueux termite.

Le père de Jacob a la charge de l'érection des murs de la palissade. Il n'est pas très efficace et les murs passent leur temps à tomber. À chaque fois qu'ils s'écroulent, la directrice, madame Azzam, traverse la cour en courant sur ses talons hauts, en criant et en gesticulant.

— Où sont tes parents? demande Sophie.

— Ils doivent flotter quelque part, je suppose, répond Abra avec un haussement d'épaules.

De fait, elle les voit très bien, assis sur la statue d'Annie, l'orpailleur, devant l'hôtel de ville. À chaque fois que les murs du fort tombent, ils tombent en bas de la statue, écroulés de rire.

— Ma mère, c'est celle qui a l'appareil-photo, dit fièrement Sophie. Si elle réussit une bonne photo, elle sera publiée dans le journal.

— Ouais... Eh bien, mes parents ne seront pas là. Sur les photos, ils ne sortent jamais très bien.

— Je ne vois toujours pas tes parents, dit

mademoiselle Lescarpin en jetant un coup d'œil vers Abra.

Abra éternue et ses yeux s'emplissent de larmes. Elle a toujours son rhume et cela ne l'a pas aidée que M'man lui frictionne la poitrine avec de l'ail ce matin.

Mademoiselle Lescarpin a un petit claquement de langue agacé.

— Rassure-toi, ma jolie. Je vais leur donner un petit coup de téléphone et je suis certaine que...

— ATTENTIOOOOOON! crie le père de Jacob.

Abra et Sophie ont tout juste le temps de faire un saut de côté et le mur s'écroule exactement là où elles se tenaient.

— Oh, doux Jésus! s'exclame mademoiselle Lescarpin en comptant son petit monde.

Madame Azzam se décide à réclamer l'aide de la police.

Le père de Jacob s'assoit sur le mur et se prend la tête à pleines mains.

— Ce n'est pas drôle! crie Abra à ses parents.

Mais M'man et P'pa jubilent et sont, une fois

de plus, en train de débouler de la statue d'Annie, l'orpailleur, en se tapant sur les cuisses.

Abra jette un œil dégoûté sur le chantier qu'est devenu le fort, puis elle voit arriver les quatre autos de police et les deux camions de pompiers qui s'arrêtent devant elle dans un crissement de pneus. Finalement, elle jette un œil du côté de M'man et P'pa qui rient si fort qu'ils en ont perdu leurs chaussures et qu'ils flottent en l'air.

Abra ramasse son sac. Elle se rend compte que si elle laisse la situation aux mains de ses parents et de mademoiselle Lescarpin, elle va se retrouver en famille d'accueil. Ce qui veut dire chez Wilfrid, parce que sa famille est la seule famille d'accueil à Val-des-Mines. Et Wilfrid est vraiment le gamin le plus insupportable qu'elle connaisse, pour ne pas dire que c'est une véritable petite peste.

— Il n'y avait même pas de fort à Val-des-Mines, crie Abra aux pompiers qui passent en courant devant elle.

Finalement, elle prend le chemin de la maison, en essayant de trouver un moyen de faire paraître ses parents plus intéressants.
Ce ne sera pas une tâche facile.

Chapitre 5

Une dernière chance

— J'ai besoin de nouveaux parents, confie Abra à Annie, l'orpailleur, en arrivant à la maison.

Annie vit avec la famille d'Abra.

— C'est ce que tout le monde souhaite, non? répond Annie en faisant sauter une crêpe qu'elle est en train de faire cuire dans sa gamelle.

— Pas autant que moi, murmure Abra.

Elle raconte à Annie tout ce qui se passe à l'école, de même que l'histoire du fort qui tombe sans arrêt et qui ne sera jamais prêt pour la Foire, et elle lui parle de l'attitude de ses parents qui n'ont rien fait d'autre que flotter en rigolant.

— Mademoiselle Lescarpin a dit qu'elle allait leur téléphoner, dit Abra d'une voix tourmentée. Qu'est-ce que je dois faire? Lui dire «Désolée, ils n'ont pas encore le téléphone. Pourriez-vous plutôt envoyer un télégramme?»

Abra imagine déjà la scène. Mademoiselle Lescarpin l'accompagne jusqu'à la maison. Elle rencontre M'man, P'pa et Annie, l'orpailleur. Ils l'invitent à dîner et lui servent du ragoût de pattes d'ours ou du coyote bouilli. La poule pond un œuf dans son sac à main. Et, au moment de partir, M'man et P'pa accompagnent mademoiselle Lescarpin sur le porche pour lui dire au revoir et disparaissent devant ses yeux!

— Aïe! gémit Annie.

— C'est encore cette dent? demande Abra.

Annie, l'orpailleur, a de vilaines dents. C'est qu'elle les abîme à force de mordre les pépites

d'or pour vérifier leur qualité.

— Tu parles! grommelle Annie. Tu veux bien me donner un coup de main?

En 1862, il n'y avait pas de dentiste à Val-des-Mines. Aussi, Abra va-t-elle chercher de la ficelle. Elle en attache un bout à la dent d'Annie et l'autre à la poignée de la porte, puis elle claque brusquement la porte.

La dent gâtée part du premier coup.

— Merci, dit Annie. Je vais déjà mieux.

Abra se demande comment sont les grands-mères des autres enfants.

Ce soir-là, Abra travaille très sérieusement à ses devoirs. Elle doit faire un dessin illustrant l'allure qu'avait le fort de Val-des-Mines. Et elle s'applique.

Même s'il n'y a jamais eu de fort à Val-des-Mines.

Même si c'est une idée totalement idiote.

Parce que la meilleure solution est de ne pas faire de vagues.

— Abra, lui dit mademoiselle Lescarpin, le lundi suivant. Le nom de tes parents n'est pas dans l'annuaire du téléphone.

Abra baisse les yeux et se rend compte qu'une de ses chaussures est détachée. Elle se baisse pour refaire le nœud de son lacet.

— Abra, continue mademoiselle Lescarpin, tes parents ne sont pas venus à l'érection du fort, ni à la rencontre avec les professeurs.

— Oui, ils sont venus, réplique Abra. C'est simplement que vous ne les avez pas vus.

Mademoiselle Lescarpin a un hochement de tête triste.

— J'ai déjà fait des lectures sur des cas semblables au tien. Ce n'est pas nécessaire d'être si courageuse, mon enfant. Je vais t'accompagner à la maison et avoir une petite discussion avec eux.

Abra s'étouffe avec sa gomme à mâcher et mademoiselle Lescarpin doit l'aider en lui frappant dans le dos.

— Vous ne pouvez pas venir, toussote Abra. Ils ont une grippe épouvantable. Vous risquez de l'attraper. Sincèrement.

Mademoiselle Lescarpin pousse un long

soupir, puis fait quatre flexions de jambes tout en réfléchissant.

— Très bien, dit-elle enfin en se grattant le nez. Je vais leur donner une dernière chance. Qu'ils assistent à la Foire de l'Ancien Temps... sinon...

Abra se refuse à deviner ce que cache ce *sinon*.

Ne pas faire de vagues et essayer d'avoir de bonnes notes ne semblent pas être la bonne solution.

Le temps est venu de passer au plan B.

Ce soir-là, alors qu'ils rentrent à pied de l'école :

— Jacob, dit Abra. Il faut que tu m'aides.

— Ouais, pas de problème, ricane Jacob.

— Je ne te parle pas de mes devoirs, idiot.

Les notes de Jacob sont comme ci, comme ça, mais il a une machine à écrire.

— J'ai besoin que tu tapes un billet pour moi. De la part de mon père.

Jacob s'arrête net et regarde Abra avec des yeux ronds.

— Tu veux manquer l'école?

— Non, dit Abra. Ce sont mes parents qui vont faire l'école buissonnière.

— Attends, là je ne marche pas.

Abra réfléchit en vitesse. Elle a besoin de l'aide de Jacob. P'pa ne sait pas écrire et, à la maison des Cadabra, ce qui s'approche le plus d'une machine à écrire, c'est la plume d'oie taillée en biseau.

— Jacob, demande Abra, est-ce que tu sais garder un secret?

— Bien sûr.

— Répète après moi chique des pépites et croque des cailloux. Si je manque à ma parole, je mange mes chaussettes.

— Quoi?!?

— Répète!

Et, sans vraiment comprendre, Jacob répète la formule.

— Jacob, dit Abra d'un ton solennel, je crois que le moment est venu de te présenter mes parents.

Chapitre 6

Chère mademoiselle Lescarpin Madame Cadabra et moi-même ne pourrons pas vous voir ce vendredi prochain parce que nous avons beaucoup de travail à faire. Frem

Plan B

À prime abord, Jacob n'en croit pas ses yeux.

— Tu plaisantes, dit-il, debout au milieu de la cuisine. C'est un coup monté, pas vrai?

P'pa est assis à côté du poêle, affairé à faire rôtir un serpent à sonnettes sur un bâtonnet, tandis que M'man pèse de la poussière d'or sur une balance. Annie, l'orpailleur, se cure les ongles d'orteils avec un canif, pendant que Bertha, la truie, mange des miettes sur le plancher.

— P'pa, dit Abra, sors de la maison.

P'pa s'exécute et, sitôt franchie la porte, il

disparaît.

— Fer à cheval! s'exclame Jacob.

La porte est restée ouverte et P'pa passe son pied à l'intérieur. Sa botte semble tenir en l'air, toute seule.

— Saperlipopette! glousse Jacob.

P'pa revient dans la pièce et Jacob peut le voir de nouveau. Il quitte le sol et se met à flotter dans la pièce, accrochant une toile d'araignée au passage.

— Dents de castor! Qui êtes-vous? Un magicien?

— Un chercheur d'or, réplique P'pa en faisant un clin d'œil.

— Oh... Allons, P'pa! grogne Abra.

— Un fantôme..., dit P'pa en gloussant. *Et* un chercheur d'or.

— Wow! dit Jacob. Quel travail passionnant. Pouvez-vous passer à travers les murs?

— Seulement dans les films, dit Abra en éternuant.

M'man lève les yeux de sa balance.

— Ton rhume empire, Abra, dit sa mère. Tu

ferais bien de te frictionner la poitrine avec de la graisse d'oie.

— Plus tard, M'man, je te le promets.

Puis, se tournant vers Jacob, elle lui demande:

— Alors, est-ce que tu vas me le dactylographier ce mot? Je veux qu'il ait l'air vrai.

— D'accord, acquiesce Jacob.

Il avait apporté la machine à écrire portative de sa mère dans son sac à dos.

— Écris, lui dit Abra. «*Chère mademoiselle Lescarpin. Madame Cadabra et moi-même ne pourrons pas vous voir ce vendredi prochain parce que nous avons beaucoup de travail à faire.*»

— Quel genre de travail? demande Jacob. C'est la première question qu'elle va te poser.

— Dites-lui que j'ai découvert un filon d'or, dit P'pa en déposant deux petits gobelets sur la table.

— Pas question! proteste Abra.

— La franchise est encore la meilleure ligne de conduite, réplique P'pa.

— D'accord, acquiesce Abra en fronçant les

sourcils. «*Nous ne pourrons pas vous voir ce vendredi parce que j'ai découvert un filon d'or et que je dois passer ma journée à creuser.*»

Jacob dactylographie la note telle quelle.

— Maintenant, signe-la, Éphrem Cadabra.

Jacob ne pouvant pas épeler correctement le prénom de P'pa, il signe Frèm, puis boit le contenu de son gobelet.

— Qu'est-ce que c'est?

— Du lait de chèvre chaud.

— C'est pas mauvais, dit Jacob. Ce serait meilleur si on ajoutait de la poudre à saveur de fraise. Où sont les toilettes?

— Dehors. Là, derrière, à côté du poulailler, lui répond Annie, l'orpailleur. Et n'oublie pas de te laver les mains à la pompe.

Jacob jette un coup d'œil vers Abra.

— Es-tu bien sûre que tu ne préférerais pas aménager chez Wilfrid? Ils ont une salle de bains dans la maison.

Annie, l'orpailleur, a fini de se curer les ongles. Elle glisse les pieds dans ses gros godillots de mineur et s'approche bruyamment de la table.

— Votre mademoiselle Lescarpin va lire entre les lignes. Elle va rire de vous comme j'avais l'habitude de rire de ces idiots qui prenaient du sable pour de l'or. Ce qui va arriver, c'est qu'elle va alerter cette travailleuse sociale et qu'elles vont s'amener directement ici.

Annie prend les gobelets qu'Abra et Jacob ont vidés en ajoutant :

— Si j'étais à votre place, je passerais tout de suite au plan C.

Chapitre 7

Un appel à l'aide

—**H**umph! pouffe mademoiselle Lescarpin.
Un filon d'or? Il me semble que ton père est
historien, non?

Mademoiselle Lescarpin vient de lire la lettre
tapée par Jacob.

— Il l'est, réplique vivement Abra en croisant
ses doigts. C'est sa manière de parler. Il a
découvert un filon d'or dans... euh... dans ses
recherches.

— Hum-um, marmonne l'institutrice en se
levant et en commençant des étirements de

jambes.

Abra s'apprête à retourner à sa place.

— Pas si vite!

Abra s'immobilise, tandis que mademoiselle Lescarpin fait glisser vers elle une feuille sur son bureau. C'est son dessin du fort de Val-des-Mines. Au haut de la feuille, encerclée en rouge, une seule lettre : un D majuscule.

— Un D!

— Je vous avais demandé d'utiliser votre imagination, dit mademoiselle Lescarpin en hochant tristement la tête. Tu as reproduit exactement le même dessin que celui du manuel. C'est du plagiat.

— Comment vouliez-vous que je me serve de mon imagination? s'exclame Abra. Il n'y a jamais eu de fort à Val-des-Mines. Je le sais!

— Balivernes, tranche mademoiselle Lescarpin.

Abra baisse le nez sur son dessin.

Mademoiselle Lescarpin laisse échapper un soupir, cesse de faire ses étirements de jambes et se rassoit derrière son bureau.

— Je sais fort bien reconnaître un appel à l'aide d'un élève, dit mademoiselle Lescarpin, tout en ouvrant son grand cahier de notes.

Vis-à-vis le nom d'Abra, il y a une longue série de A à laquelle succède toute une série de D. La rangée des D n'est pas encore aussi longue que celle des A, mais cela ne saurait tarder.

— Sois sans inquiétude, mon enfant. Tout va bientôt rentrer dans l'ordre.

Baissant ensuite le ton, pour ne pas être entendue des autres enfants, mademoiselle Lescarpin ajoute :

— À la Foire de l'Ancien Temps, je vais parler à tes parents. S'ils ne viennent pas, je ferai intervenir madame Boulé.

Madame Boulé! Madame Boulé est la travailleuse sociale de Val-des-Mines. Comme il n'y a pas beaucoup de travail ici pour une travailleuse sociale, elle va se délecter du cas des Cadabra!

Plus tard, quand Abra lui raconte toute l'histoire, Jacob n'en revient pas.

— Elle n'a pas cru mon mot? dit-il en

s'étranglant presque. Pourtant, je l'avais tapé à la perfection.

Toute la classe est dans la cour d'école, à mettre la main aux derniers préparatifs de la Foire. Jacob et Abra s'affairent à peindre des érables en carton.

Jacob réfléchit un petit moment.

— Dans ce cas, tes parents pourraient peut-être utiliser un peu de poudre de perlimpinpin et transformer mademoiselle Lescarpin en chat ou autre chose du genre.

Abra lui lance un coup d'œil sombre.

— Oh oui! Quelle idée géniale!

— Bien... ils pourraient peut-être au moins lui faire perdre la voix ou la mémoire?

— Les fantômes, dit Abra, furieuse, ne lancent pas de la poudre de perlimpinpin! Les fantômes sont des gens ordinaires, des gens comme tout le monde. La seule différence, c'est qu'ils sont morts.

— Des gens ordinaires, des gens comme tout le monde, répète mécaniquement Jacob. Je pense que je commence à comprendre.

— Jacob, dit Abra sur un ton désespéré. J'ai une mère qui va au travail à dos de mule, un père qui se promène au plafond et une grand-mère qui a fondé cette ville il y a plus de cent ans. Il faut que tu me donnes un coup de main. J'ai besoin d'aide, pas de tes farces plates.

Jacob abandonne son petit sourire narquois et reprend son regard futé.

— Abra, comme disait Annie, l'orpailleur, je crois que c'est le temps d'appliquer le plan C.

Abra se sent déjà mieux.

— Tu as raison, Jacob, il faut appliquer le plan C.

Elle n'a aucune idée de ce qu'est le plan C. Du moins, pas encore. Mais elle sait ce qu'elle doit faire. Il lui faut trouver un moyen de prouver à mademoiselle Lescarpin que c'est elle, Abra, qui a raison à propos du mode de vie des premiers habitants de Val-des-Mines. Ensuite, mademoiselle Lescarpin sera forcée de corriger ses notes et de changer tous les D en A.

La peinture est sèche sur les érables de carton. Ils en prennent deux et vont les porter à la cabane à sucre en carton de mademoiselle Lescarpin.

— Si vous avez l'idée de pendre des bandits aux branches de ces arbres, vous feriez bien d'y réfléchir à deux fois! lance Wilfrid d'une voix rauque.

Il porte déjà son foulard noir de brigand sur le visage. Cela lui convient tout à fait.

Jacob pointe ses doigts comme des pistolets en visant Wilfrid.

— Fais bien attention où tu mets les pieds, voyou! Il y a une prison qui n'attend que toi, tu sais!

— Jacob!

Jacob replie son index dans sa paume et met son poing dans sa poche, comme s'il rangeait son pistolet.

— Désolé, dit-il à Abra. Où en étions-nous?

— Plan C.

— Alors, c'est quoi, le plan C?

Abra arbore un petit sourire moqueur. Le duel au pistolet avec Wilfrid vient de lui donner une idée.

— Jacob, nous allons profiter de la Foire de l'Ancien Temps pour kidnapper mademoiselle Lescarpin.

— Tu es sérieuse? dit-il en clignant des paupières.

— Tout à fait. Mademoiselle Lescarpin va être enlevée par le Corps des Ingénieurs de sa Majesté, c'est-à-dire toi et moi.

— Je ne veux pas être un Ingénieur de sa Majesté, c'est idiot. Je veux être un shérif.

— Il n'y avait pas de shérif à Val-des-Mines; c'était une colonie britannique.

— Mais mademoiselle Lescarpin a dit que...

— C'est bien là le problème. Mademoiselle Lescarpin patauge dans la choucroute. C'est peut-être parce qu'elle a vécu trop longtemps à Hollywood, mais il faut absolument que je lui ramène les pieds sur terre.

— Et tu crois que ça va arranger les choses de la kidnapper?

— Il le faut, dit Abra. Parce que s'il fallait que ça ne marche pas...

Juste à ce moment, Wilfrid lui plante son doigt

dans le dos.

— Donne-moi tout ton argent, grogne-t-il, sinon je tire.

S'il fallait que le plan C échoue, Abra serait coincée avec Wilfrid. Vingt-quatre heures par jour! Elle lance à Jacob un regard chargé de sous-entendus.

Jacob roule de grands yeux.

— D'accord, dit-il. Je vais t'aider.

Chapitre 8

Libérez votre prisonnier!

Arrive le vendredi de la Foire de l'Ancien Temps. Tous les enfants sont déguisés avec de vieux vêtements. Sous les érables de carton, installée au comptoir de sa cabane à sucre, mademoiselle Lescarpin distribue des bonbons à la tire d'érable.

— Maïs soufflé? propose le père de Jacob.

Il fait éclater du maïs dans une casserole posée au milieu d'un petit feu de bois. Le maïs en ressort tout calciné.

— Eurk, non merci, dit Abra.

Elle porte déjà son uniforme du Corps des

Ingénieurs de sa Majesté. Il est chaud et rugueux.

— Où est Jacob?

— Affairé à ses responsabilités de shérif, répond le père de Jacob en roulant des yeux fiers.

Juste à ce moment, Abra entend des cris. C'est la voix de mademoiselle Lescarpin.

— Au secours, shérif! Au secours! hurle l'institutrice.

Wilfrid et sa bande de brigands l'ont ligotée et l'entraînent au travers de la cour d'école.

Abra cherche le shérif des yeux. Il est ligoté, lui aussi.

— Où est ton adjointe? demande Abra en le libérant.

— Qui crois-tu m'a attaché comme ça? réplique Jacob. Elle s'est jointe aux brigands. Elle prétend que c'est plus drôle.

— Bang, bang! crie Wilfrid en passant à côté d'eux à la course. Nous nous sommes emparés du fort.

— Crois-tu que tout ça peut affecter tes notes

de bulletin? demande le père de Jacob qui s'est approché. Veux-tu que j'aille attraper ces voyous à ta place?

— Non, merci, papa.

Jacob enfile en vitesse la redingote et la casquette du Corps des Ingénieurs de sa Majesté que lui a apportées Abra.

Ensuite, se tenant devant l'entrée du fort, Abra frappe sur son tamis de chercheur d'or.

— Oyez! Oyez! crie-t-elle.

— Heu? C'est quoi ça? demande Wilfrid en jetant un coup d'œil au-dessus de la palissade.

— Nous sommes ici par ordre de Sa Majesté la Reine Victoria! crie Abra.

— Êtes-vous malades? réplique Wilfrid.

— Nous sommes les Ingénieurs de Sa Majesté! Rendez-nous votre prisonnier.

— Jamais de la vie! réplique Wilfrid. Bang, bang! Tu es mort!

Jacob se laisse tomber par terre en se tenant la poitrine.

— Relève-toi! siffle Abra, les dents serrées.

— On a eu le shérif! crient les brigands. Le

shérif est mort!

— Le shérif n'est pas mort! proteste Jacob en sautant sur ses pieds.

— Ce n'est pas un shérif! crie Abra. Il n'y a jamais eu de shérif à Val-des-Mines, mais des Ingénieurs de Sa Majesté. Je peux vous le prouver. Qui veut se joindre au Corps des Ingénieurs de Sa Majesté?

— C'étaient des bons ou des méchants? demande Wilfrid.

— Comparés à vous, c'étaient des bons, répond Abra.

— Oublie-moi! réplique Wilfrid.

— D'accord, mais rendez-nous au moins votre prisonnier, plaide Abra.

— Jamais de la vie! Je vais défendre ce fort jusqu'à la mort... à moins que vous ne m'apportiez de quoi nourrir Pirate durant un an.

— Pirate? demande Abra en questionnant Jacob du regard.

— C'est son ouistiti, son singe. Il mange des criquets. Vivants.

— Pas question! réplique Abra en jetant un coup d'œil furieux vers Wilfrid.

Le plan C est mal amorcé.

Ils ont absolument besoin de mademoiselle Lescarpin et celle-ci est prisonnière et ligotée.

— Que feraient les Ingénieurs de Sa Majesté? demande Jacob.

Abra est incapable de répondre. Elle sait qu'ils étaient également chargés de capturer les brigands, mais tout ce qu'elle les a vus faire, c'est construire des routes.

— Dans ce cas, dit Jacob, qu'est-ce que nous allons faire?

Sur ces entrefaites, le père de Jacob arrive en portant une grande lèchefrite de tire au caramel. Le père de Jacob fait les meilleurs bonbons en ville.

— Tire! Qui veut de la bonne tire? annonce le père de Jacob en criant.

— Hourra!

Chacun se met à courir vers lui : parents, enfants, professeurs, cow-boys, même les brigands.

— Emparons-nous de la tire! hurle Wilfrid.

Tous se précipitent, sauf Jacob et Abra. Et la prisonnière, bien sûr.

— On dirait bien que ton père a réglé notre problème, dit Abra.

Ils retrouvent mademoiselle Lescarpin dans la prison.

— Nous n'avons pas la clé, dit Jacob. Nous allons devoir utiliser la force.

— Jacob! dit Abra. Cette prison est une vieille boîte de carton.

Quand ils soulèvent le couvercle, mademoiselle Lescarpin leur sourit.

— Merci de venir me libérer.

Abra se sent coupable. Elle sait que mademoiselle Lescarpin n'a pas prévu quitter la fête. Du moins, pas avec un Wilfrid sans surveillance. Mais...

— Nous ne venons pas vous libérer. Nous... euh... nous sommes chargés de vous escorter à une autre fête.

Mademoiselle Lescarpin a l'air un peu perdue.

— Cette Foire de l'Ancien Temps prend une tournure que je n'avais pas prévue, dit-elle en ramassant son sac à main.

Pendant que tout le monde est aggluliné autour de la lèchefrite de tire au caramel, deux Ingénieurs de Sa Majesté et leur prisonnière quittent le fort par la grande porte sans que personne ne les remarque.

Le plan C est enclenché.

Chapitre 9

Les pires parents jamais vus!

— Attendez-moi ici, dit Abra en entrant chez elle et en laissant Jacob et mademoiselle Lescarpin sous le porche.

— M'man! P'pa! Mademoiselle Lescarpin est ici!

— Ce n'est pas la peine de hurler comme ça! dit P'pa.

Abra jette un coup d'œil circulaire dans la pièce. Annie, l'orpailleur, et P'pa sont là, mais...

— Où est M'man?

— À la chasse au puma, répond P'pa.

— Mais... elle avait promis d'être là! gémit Abra.

— Yo-hou-hoouu? chante mademoiselle Lescarpin en avançant dans la pièce.

— Vous étiez sensés attendre dehors, siffle Abra à Jacob qui a suivi la prisonnière.

Jacob hausse les épaules en signe d'impuissance, puis il plisse le nez.

— Qu'est-ce que c'est que cette odeur?

— De la graisse d'ours. Ça fait des fameuses de bonnes chandelles, répond Annie, l'orpailleur, qui touille le contenu d'une marmite qui bout sur le feu.

La mâchoire inférieure de mademoiselle Lescarpin se relâche complètement. Elle regarde fixement Annie, l'orpailleur. La grand-mère présente un étonnant spectacle : à cause de la vapeur qui s'échappe de la marmite, ses cheveux sont tout boudinés. De plus, elle porte à son cou un collier porte-bonheur fait de longues griffes d'ours enfilées sur une lanière de cuir.

— Mademoiselle Lescarpin, j'aimerais vous présenter ma grand-mère, Annie, l'orpailleur. Et voici P'pa.

— Enchantée, réplique faiblement l'institutrice.

Abra remarque que Mademoiselle Lescarpin n'a pas fait un seul de ses habituels pas de danse. Elle n'est plus elle-même.

— Thé? propose P'pa.

— Café, s'il vous plaît, déglutit l'institutrice.

Abra remarque que le regard de mademoiselle Lescarpin passe successivement des trappes à ours, aux balances pour l'or, puis aux pioches et se pose, finalement, sur les nouvelles bougies d'Annie.

— On en a toujours au chaud, dit Annie en plantant un gobelet sur la table.

Mademoiselle Lescarpin s'assoit sur la chaise que P'pa a fabriquée à partir de vieux cageots.

— Tandis que je suis ici, j'aimerais en profiter pour vous parler d'Abra.

— Charmante enfant, dit P'pa, le visage rayonnant.

— Exact, mais... euh... elle a eu beaucoup de D ces derniers temps.

— Des D! Mais c'est-y pas épatant, ça!

Mademoiselle Lescarpin roule des yeux ronds comme des crêpes.

— Moi, j'ai jamais mis les pieds à l'école, dit P'pa en donnant un coup de plumeau sur le portrait de la reine Victoria.

— Ni moi non plus, ajoute Annie, l'orpailleur.

— Jamais appris à lire non plus, ajoute P'pa. J'ai dit à Abra qu'elle serait bien mieux de chercher de l'or, mais elle voulait absolument aller à l'école, comme sa mère. Ah celle-là!

Mademoiselle Lescarpin a le visage cramoisi. Elle prend une grande gorgée de café.

— Ce que P'pa veut dire, intervient vivement Abra, c'est que...

Elle n'a pas besoin d'en dire davantage, mademoiselle Lescarpin est en train de s'étouffer.

— Quelle sorte de café est-ce? toussote l'institutrice, les yeux embués.

Abra jette un coup d'œil à Annie.

— De la racine de pissenlit, dit tout bonnement Annie avec un haussement d'épaules. Le père d'Abra les fait sécher et les moud lui-même.

— Formidable! grogne Abra.

— Pourquoi ta grand-mère fabrique-t-elle des bougies? demande mademoiselle Lescarpin.

C'est l'occasion qu'Abra attendait. Maintenant, elle peut tout justifier. Expliquer comment elle a convaincu P'pa et M'man — enfin, du moins P'pa — et Annie de se déguiser en chercheurs d'or. Comment elle a décidé d'organiser deux Foires de l'Ancien Temps la même journée et que celle-ci, la sienne, illustre de manière authentique la vie des premiers colons de Val-des-Mines.

— Elle fabrique des bougies à la manière des premiers colons, explique Abra. Elle sait comment s'y prendre parce que c'est une sorte de passe-temps...

— Passe-temps mon œil! grogne Annie. C'est grâce à mon «passe-temps», comme tu dis, que tu peux t'éclairer pour faire tes devoirs.

— Oh, je vois, dit mademoiselle Lescarpin en jetant un coup d'œil vers Abra, tout en se grattant le nez.

— C'est grâce à mon «passe-temps» que tu peux te rendre aux toilettes, dehors, en pleine nuit, sans te casser la figure, aboie Annie.

— Oh, je vois, dit à nouveau l'institutrice.

— Et si tu ne mets pas tout de suite le ragoût d'écureuil sur le feu, Abra Cadabra, tu n'auras rien à manger ce soir, conclut Annie en croisant les bras sur sa volumineuse poitrine.

— Oh, du ragoût d'écureuil, je vois, dit mademoiselle Lescarpin en se levant.

— Abra, ma chérie, je comprends maintenant pourquoi tu m'as emmenée ici, dit-elle en battant l'air de ses bras maigrichons. Pauvre, pauvre chérie!

— Un instant! crie Abra. Vous avez tout compris de travers!

Sur ces entrefaites, la porte de la cuisine s'ouvre brusquement et M'man fait son entrée.

— Donnez-moi un coup de main, voulez-vous?

Elle tient Bertha au bout d'une corde et la truie refuse de rentrer dans la maison. Abra attrape la corde et tire un bon coup. La truie pousse un grognement et tire en sens opposé.

— Qu'est-ce qui lui arrive? demande Abra.

Habituellement, la truie ne se fait pas prier pour entrer manger.

— J'ai l'impression qu'elle n'aime pas l'odeur du puma, dit M'man en laissant jaillir du sac un bébé puma qui roule de grands yeux.

— C'est le... le dîner? demande mademoiselle Lescarpin en déglutissant.

M'man lance un coup d'œil étonné vers l'institutrice.

— Comment ça? Je ne mangerais pas plus ce puma que je ne mangerais Bertha, ici. Ne venez pas me dire que vous ne savez pas ce que c'est qu'un animal de compagnie!

— M'man, je te présente mademoiselle Lescarpin, dit Abra, intervenant rapidement et attrapant le petit puma.

Le plan C ne se déroule pas très bien.

— Enchantée, dit M'man avec un hochement

de tête, tout en attrapant une poule qui vient de rentrer dans la maison. Ça fait toujours plaisir de rencontrer une intellectuelle.

— Monsieur et madame Cadabra..., amorce mademoiselle Lescarpin, les sourcils retroussés au point qu'ils se confondent avec ses cheveux.

— Grazie, l'interrompt M'man.

— Frèm, dit P'pa.

— C'est beaucoup plus drôle que la rencontre avec mes parents, dit Jacob avec un sourire amusé.

— Je dois vous dire, Grazie et... euh... Frèm, que j'ai l'intention de réagir immédiatement à ce que je viens de voir, dit l'institutrice en agrippant son sac à main. Je m'en vais, de ce pas, chercher madame Boulé.

— Bonne idée, dit M'man. Ça fait des années que nous n'avons pas eu de visite.

— Des années et des années, acquiesce P'pa.

Mademoiselle Lescarpin a l'air à la fois surprise et furieuse.

— Eh bien, vous deux... vous êtes vraiment les pires parents que j'ai jamais rencontrés! Et ceci est le pire endroit où ait jamais vécu un enfant de Val-des-Mines! Et j'ai la ferme intention de faire quelque chose dès aujourd'hui!

Chapitre 10

Bienvenue en 1862

— Attendez! crie Abra.

Tous se tournent vers elle.

— Abra, dit Jacob, j'ai l'impression que le plan C ne marche pas.

— C'est parce que je n'ai pas encore expliqué le plan C, remarque Abra. Chacun sait que le Plan C fonctionne toujours. Qui a déjà entendu parler d'un Plan D?

Abra se tourne vers mademoiselle Lescarpin.

— Je vous souhaite la bienvenue à la Foire de l'Ancien Temps d'Abra Cadabra.

— Pardon? dit mademoiselle Lescarpin en éternuant.

— Tsst, tsst, fait M'man. Vous devriez vous frictionner avec de la graisse d'oie, c'est excellent contre le rhume.

— Je n'ai pas le rhume, rétorque mademoiselle Lescarpin d'une voix renfrognée. C'est une allergie. Je suis allergique aux chats.

— Il n'y a pas de chat ici, réplique Annie, l'orpailleur, occupée à donner le biberon au bébé puma.

— Aa-aa-ah-TCHOOOU!

— Abra, chuchote Jacob, le plan C?

— Bienvenue à ma Foire de l'Ancien Temps, reprend Abra d'une voix forte.

Tous les yeux se tournent vers elle.

— Tout ce qui vous entoure est exactement comme en 1862, dit-elle, faisant un large geste circulaire. Tout y est organisé exactement comme à l'époque de la grande ruée vers l'or.

— Exactement, renchérit Jacob.

— J'ai peine à croire, dit mademoiselle Lescarpin en regardant fixement Bertha...

— Les chercheurs d'or avaient également leurs animaux de compagnie, l'interrompt Abra, mais on n'en dit pas un mot dans les livres d'histoire.

— Comment le sais-tu? demande l'institutrice en relevant les sourcils.

— Eh bien, mes parents... dit Abra qui s'interrompt pour tousser.

— Étaient là, complète P'pa.

— Sont experts en la question, poursuit Abra en poussant P'pa d'un coup de coude.

— C'est le moins qu'on puisse dire, acquiesce P'pa.

— Tes parents sont derrière toute cette mascarade! Cela explique tout! dit mademoiselle Lescarpin en reniflant.

— Pas du tout. Cette mascarade, c'est mon idée, dit Abra.

— C'est tout à fait vrai, dit Jacob. Même que je suis son complice.

— Pourquoi as-tu fait cela? demande mademoiselle Lescarpin en regardant Abra dans les yeux.

— Je voulais vous montrer de quoi avait vraiment l'air Val-des-Mines à l'époque des premiers colons, pour que vous changiez quelques-uns de mes D en A. Je voulais aussi vous présenter mes parents pour que vous puissiez voir à quel point ils sont gentils... mais je crois, conclut Abra avec un soupir, que, finalement, mon idée n'était pas très bonne.

Mademoiselle Lescarpin ne dit rien. Elle se contente de regarder attentivement les Cadabra et le puma.

— Ce n'était peut-être pas une si mauvaise idée après tout, finit-elle par dire.

Elle se met ensuite à sourire. Sans dire pourquoi. Comme ça, elle sourit, tout simplement.

— Après tout, je crois que je vais rester à dîner, annonce-t-elle.

— Ragoût d'écureuil? propose M'man.

— Pourquoi pas.

— Un peu de pain? suggère Annie. Tout frais de mon tamis d'orpailleur.

— Fameux.

— Une petite brochette de serpent à sonnettes avec ça? demande P'pa.

Mademoiselle Lescarpin jette un coup d'œil du côté d'Abra.

— C'est grillé au feu de bois, dit Abra en haussant les épaules.

— Je veux bien, mais une toute petite portion, dit mademoiselle Lescarpin d'une voix faible avant d'éternuer.

— Le temps que ça chauffe, ça vous dérangerait pas trop de me donner un coup de main avec le ménage? dit Annie.

— Mais pas du tout, dit l'institutrice en ricanant. Le ménage faisait certainement partie de la vie quotidienne des premiers colons. Qu'est-ce que je dois faire?

Annie, l'orpailleur, montre du doigt une pile de blousons et de salopettes presque aussi haute que le plafond.

— Il faut laver ça, en frottant bien fort.

— Annie! intervient Abra en poussant un cri indigné.

— C'est jour de lessive, ça doit être fait, dit

Annie en agitant son index sous le nez d'Abra.

Abra explique à mademoiselle Lescarpin :

— Quarante-cinq Ingénieurs de Sa Majesté se sont arrêtés ici, ce matin. Ils sont dans les environs pour maintenir la paix.

— Hah-hah! Tu t'es vraiment donné beaucoup de mal pour me prouver que tu avais raison, dit mademoiselle Lescarpin.

— Il n'y a pas de shérif à Val-des-Mines, dit Jacob d'une voix triste.

— Comme il n'y a pas beaucoup de brigands non plus, continue Abra, les Ingénieurs de Sa Majesté construisent une route. C'est pour ça que leurs uniformes sont aussi sales. Ils nous paient deux pépites d'or pour les laver.

— Des pépites d'or! s'exclame mademoiselle Lescarpin. Comme c'est mignon!

— Ça c'est pour vous, dit Annie en laissant tomber un baquet à côté de l'institutrice. V'là votre savon.

— C'est le meilleur de la région, ajoute M'man. C'est moi-même qui le fait.

— Hah-hah! ricane l'institutrice.

— Nous n'avons pas l'eau courante non plus, explique Abra qui revient de dehors avec un seau plein d'eau.

— Bien sûr que non, dit mademoiselle Lescarpin en pouffant de rire.

Abra, Jacob et leur invitée mettent un bon moment pour laver les uniformes des Ingénieurs de Sa Majesté.

— Seulement deux pépites pour tout ce travail? proteste Jacob.

Quand arrive l'heure du repas, ils sont affamés.

— Vraiment délicieux, dit mademoiselle Lescarpin après avoir goûté au ragoût. Qu'est-ce que c'est?

— Ragoût d'écureuil, lui répond P'pa. C'est ma recette personnelle.

— Hah-hah! Et où sont les brochettes de serpents à sonnette333?

— Brûlées, avoue piteusement P'pa.

— Comme c'est malheureux, dit mademoiselle Lescarpin en souriant davantage. Mais le pain est délicieux. Vous m'avez bien dit que vous le faisiez dans votre tamis d'orpailleur, Annie?

— Ouais, répond Annie. Y'a rien là! Un peu de farine, un peu d'eau, une pincée de sel. Ensuite, tout ce qu'il vous reste à faire, c'est de cracher dans le mélange pour le faire lever...

Mademoiselle Lescarpin éclate de rire. Elle rit tellement qu'elle en tombe en bas de sa chaise.

Abra l'aide à se relever.

— Alors, demande Abra, maintenant, est-ce que vous me croyez quand je vous dis que les premiers habitants de Val-des-Mines ne plantaient pas de citrouilles et ne faisaient pas de sirop d'érable...

— Eh bon Dieu, non! s'exclame Annie l'orpailleur. Pas une minute pour ces niaiseries-là! Où est-ce qu'on prendrait le temps de chercher de l'or, de faire le lavage...

— De surveiller nos concessions ou d'attraper des pumas, ajoute M'man.

— Ou de cueillir les pissenlits, pour le café, complète P'pa.

— Maintenant, mademoiselle Lescarpin,

est-ce que vous me croyez quand je vous dis qu'il n'y avait pas de shérif? demande Abra.

— Après avoir lavé quarante-cinq grands uniformes rouges, n'importe qui croirait aux Ingénieurs de Sa Majesté! marmonne Jacob en regardant ses paumes couvertes d'ampoules.

Avant de répondre à la question, Mademoiselle Lescarpin commence par faire quatre flexions.

C'est bon signe.

Elle enchaîne ensuite avec un étirement, deux rotations latérales et une virevolte.

C'est très bon signe.

Finalement, elle s'immobilise, regarde Abra et lui donne sa réponse :

— Non.

Chapitre 11

Graisse d'oie à l'ail

— Non? s'écrie Abra.

— Non! s'écrient en chœur M'man, P'pa, Annie, l'orpailleur et Jacob.

— Non, dit mademoiselle Lescarpin. Je ne crois pas que les premiers colons mangeaient du ragoût d'écureuil, des brochettes de serpent à sonnettes et du pain de prospecteur.

— Humph! fait Annie en relevant le nez.

— Et le Corps des Ingénieurs de Sa Majesté? demande Jacob.

— Eh bien, il y avait peut-être des Ingénieurs

de Sa Majesté, admet mademoiselle Lescarpin, mais je dois vérifier dans mon manuel.

— Oh, dit Abra. Ça veut dire que je vais couler en histoire. Ça veut aussi dire que vous irez chercher madame Boulé et que je devrai aller vivre chez Wilfrid.

— Eh bien... reprend l'institutrice. Mais elle ne peut continuer, car elle se met à éternuer, à éternuer et à éternuer encore.

— Un peu d'ail et de graisse d'oie? propose M'man.

— Aa-aa-ah-TCHOOOU!

— Je crois que ça veut dire oui, dit P'pa.

— C'est bien ça, mademoiselle? demande Abra.

— Aa-aa-ah-TCHOOOU!

— Moi, je dirais que c'est non, dit Jacob.

— Ça n'a aucun bon sens, tranche M'man. Elle éternue. C'est bien évident qu'elle veut de la graisse d'oie.

— Essayez ça, ordonne M'man en tendant la jarre de graisse d'oie.

Mademoiselle Lescarpin en applique un peu

sur sa gorge. Les éternuements s'arrêtent aussitôt et ses yeux et son nez cessent de couler.

Elle se rassoit, l'air surpris.

— Que dites-vous de cela!

M'man rayonne de joie.

— Bertha! s'écrie Abra. Arrête!

Bertha a le groin plongé dans le sac à main de mademoiselle Lescarpin et mâchonne quelque chose.

Le manuel d'histoire de l'institutrice.

— Oh Bertha! gémit Abra. Tu viens de tout gâcher!

— C'est le livre préféré de mademoiselle Lescarpin, constate Jacob.

Les deux enfants regardent leur institutrice, puis Abra tend ses deux mains vers elle.

— Qu'est-ce que tu fais? demande-t-elle.

— Passez-moi les menottes, pleurniche Abra. Emmenez-moi chez Wilfrid, je suis prête.

Mademoiselle Lescarpin pouffe, puis se met à rire franchement. Au bout du compte, tout le monde se met à rire.

— Pourquoi est-ce qu'on rit? demande Jacob.

— Parce que je n'emmène Abra nulle part.

— Ah non? demande Abra, surprise.

— Non, dit mademoiselle Lescarpin. Je ne suis peut-être pas d'accord avec ton interprétation de l'histoire...

— Humph! fait Annie, l'orpailleur, dans son coin.

— ...Mais je dois admettre que tu as fait preuve de beaucoup d'imagination et, pointant Bertha, de beaucoup d'énergie pour me convaincre. Ne serait-ce que pour cela, tu mérites un A.

— Et si elle a un A, elle peut rester? demande Jacob.

Mademoiselle Lescarpin jette un coup d'œil en direction de P'pa et M'man.

— Ce ne sont pas les notes d'Abra qui m'inquiétaient, j'étais davantage préoccupée par les raisons qu'il y avait derrière ces résultats. Je croyais... euh... je me disais...

— Vous pensiez que j'avais des parents négligents, complète Abra.

— Hum-uum... fait mademoiselle Lescarpin

en s'éclaircissant la voix. D'une certaine manière, c'est bien cela. Comme tes parents ne venaient jamais aux réunions et ne se préoccupaient pas de tes travaux scolaires, je croyais qu'ils ne t'aimaient pas.

— Imaginez! dit M'man.

Mademoiselle Lescarpin prend la jarre de graisse d'oie à l'ail et s'en frictionne encore une fois la gorge.

— Monsieur et madame Cadabra, dit-elle, je ne connais aucun duo de parents aussi peu conventionnels que vous...

— Hon-hon, murmure Abra.

— ... Mais, pour moi, il est très clair que vous aimez Abra. Pour l'aider dans son travail d'histoire, vous n'avez pas hésité à retourner votre maison sens dessus dessous...

— Je ne vois pas ce que vous voulez dire, dit P'pa.

— Sans compter que vous lui avez inventé un merveilleux onguent.

— Ça c'est vrai, dit M'man.

— C'est tout à fait acceptable d'avoir des

parents qui sortent de l'ordinaire, conclut mademoiselle Lescarpin, d'un ton solennel.

— Dire que ce serait tellement plus simple d'avoir des parents ordinaires! grommelle Abra.

Mademoiselle Lescarpin se lève brusquement de sa chaise et exécute une série de pivots sur pointe avant d'annoncer :

— En d'autres mots, Abra est très bien ici, avec vous.

— Yeah! éclate Jacob.

— Hourra! s'écrie Abra.

— Ya-hou! s'écrient en chœur M'man, P'pa et Annie avant de serrer la main à mademoiselle Lescarpin.

— J'espère que l'an prochain, vous viendrez à notre Foire de l'Ancien Temps, dit-elle.

— Certainement, dit M'man.

— Je vous reverrai donc à cette occasion, dit l'institutrice.

— Bien, euh... dit P'pa avec un sourire machiavélique.

— Il ne faudrait pas oublier qu'ils sont

terriblement occupés, prévient prudemment Abra. Vous savez, les historiens...

— Ouuh! s'exclame mademoiselle Lescarpin, surprise par le puma qui vient de lui sauter dans les bras.

Elle se met à le flatter, puis elle sourit.

— Si jamais j'ai besoin d'informations complémentaires sur l'histoire de Val-des-Mines, je saurai où m'adresser.

— Ici, dit Abra.

— On a toujours du café au chaud, ajoute P'pa.

Recette du pain de prospecteur

Pour faire lever le pain : faire une pâte épaisse à partir de farine et d'eau, et ajouter ce qui vous plaît pour donner du goût. Comme l'ensemble doit fermenter, il importe d'y ajouter de la levure. Si vous n'en avez pas sous la main, quelques fruits non cuits et très mûrs peuvent faire l'affaire ou encore, vous pouvez cracher sur le mélange. Laissez reposer dans un endroit chaud jusqu'à ce que la pâte ait gonflé au point de doubler de volume. Ajouter de la farine jusqu'à ce que le mélange soit bien ferme et pétrir jusqu'à ce qu'il soit sec. Laisser gonfler jusqu'à ce que la surface craque. Pétrir encore une fois, former des miches et laisser lever. Cuire au four.

De : *Cariboo, the Newly Discovered Gold Fields of British Columbia, Fully Described by a Newly Returned Digger*, Darton and Hodge, 1862.

Table des matières

Maureen Bayless garde une gamelle de prospecteur à portée de la main uniquement pour essayer les recettes d'Annie, l'orpailleur. Ses trois fils sont unanimes à affirmer que, depuis la ruée vers l'or de Cariboo, il n'y a pas eu de meilleur pain «levé à la salive» que celui de leur mère.

Maureen et sa famille vivent à Vancouver où elle a de nombreux projets de livres en chantier. Sa première publication chez Scholastic fut *La maison de Bernard est hantée*.